AF650517

KABDWAL BOOK INTERNATIONAL (KBI Publishers) was established on 28th Febuary' 2003 by Naveen Chand Kabdwal. Our journey began by marketing traditional technical and management books. In 7 years of working, we realized the need for International Standards. Result of this need, KABDWAL BOOK INTERNATIONAL entered in the field of foreign standards.

With our continuous efforts of pursuing the needs of International Standards, fair and smooth dealing, most of the international agencies gave us the opportunity to deal directly for their published standards.

In 2014 we published our first book and after a hiatus of 8 years we resumed our journey in publishing.

लाहौर to LA

लाहौर to *LA*

Baljeet आहूजा

KB INTERNATIONAL

Cover Art by Adobe Firefly
Designed on Canva
Images are from Canva and Microsoft
Image Copyright are with the respective owners

Conceptualized by Simpi and Prince

First published by **Naveen Chand Kabdwal for**
Kabdwal Book International (KBI Publishers) in 2024.

INTERNATIONAL

Kabdwal Book International
Plot No 179 D 42, Raigad CHS, Sector 1
Charkop, Kandivali West
Mumbai, Maharashtra 400067, India
www.kabdwalbook.com / www.kbipublishers.com

Name: Ahuja Baljeet Kaur
Title: Lahore to LA / Baljeet Kaur Ahuja.
Printed by SAP Print Solutions Pvt. Ltd., Mumbai 400013 India

ISBN: 978-81-969-1886-6(PB)

KBI Team: Rajesh Raheja, Syed Husain Mendhdi Naqvi

When words are dipped
in emotions
They become poetry

Thank you for choosing a KBI Publishers product!
If you have any comment, observation or feedback,
I would like to personally hear from you.

Please write to me at **kbipublishers@kabdwalbook.com**

Rajesh Raheja, Publishing Head at KBI Pubishers.

Bulk Sales

KBI Publishers offers special discounts.
We also make available special imprints
and excerpts from our books on demand
for purchase of books in bulk

For Orders and enquiries, write to us at:

Marketing Department
Kabdwal Book International (KBI Publishers)
Plot No. 179, D/42, Raigad CHS,
Sector 1, Charkop, Kandivali (W),
Mumbai 400 067

E-mail us at **order@kabdwalbook.com**

Content - First Inning

Content - Second Inning

Preface

This is a Hindi poetry book filled with emotions. The emotions are so powerful that you will be able to relate to them.

The book depicts life of a small girl who started from Lahore, Undivided India. She felt the pain of partition and saw her family start from scratch. She found happiness in small things.

She was ambitious. She had dreams. She wanted to do a lot. The socioeconomic circumstances did not support. She made peace with life. She found happiness with her life partner and friends. She raised her children and tried to realize her dreams through them.

The children studied and did well in their life. Her daughter got married and son went to United States. She was alone.

In the second Innings of her life, she decided to leave her home and friends and moved to Los Angeles in the United States of America with her son. She found happiness in her Grandchildren. Covid made things worse. She lost one of her best friends. She was away and she was sad.

She started reflecting what all she gained and lost in her life. Then she decided to live her childhood dream again. She got an opportunity to write on a social media magazine. She decided to take that opportunity. She stood up on her feet and started making her dreams a reality. People started liking her content and she became a famous author.

This is the story of the strength of a small girl who made her childhood dreams come true in her old age through her courage and never say die attitude. She does not feel alone anymore and thinks that God was there with her all along.

Hope you will enjoy the story painted through poems.

First Inning

Home I left Behind...

It was the year 1946. My father's entire family shifted to Dehradun from Lahore except my parents. He used to insist on the fact that borders can be made but people can't be divided and I will not leave my job and house because of this political division.

My father's brother took my mother's sewing machine with him and insisted them to shift as soon as possible. That sewing machine was my mother's favorite item in the house.

My father had a big bungalow in Lahore and a government job that paid well. My mother was originally from Peshawar and from a very well to do family. She got married at the age of 14 and her in-laws were given her weight in gold. Then came the year 1947. Tension was rising and people were trying to shift to the newly made India. It was a big shock for my father because he was not mentally ready to leave everything behind and shift. When things worsened to the point where killings began, his neighbor, a Pathan who used to deal in milk transportation, he asked him to pack his bags and come with him in his milk truck. It was a day full of sadness, sorrow, and stress. My mother was boiling milk in a big container, 2 kids were playing happily, unaware, and one was 2 months old in her lap, in their huge bungalow.

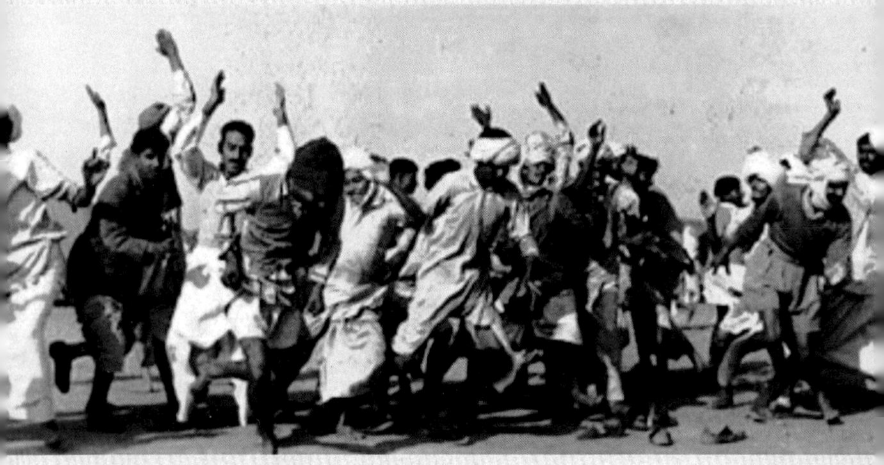

As soon as neighbor came and asked to pack the bags, everything was suddenly different. My mother just packed all her jewelry and the Guru Granth Saheb, the holy book of the Sikhs. All five of them cooped up in the back of the milk truck. The Pathan hid them behind the milk containers. They were scared, clueless and had no idea who to trust at the time.

They couldn't tell where the truck was going to take them, but they had no choice but to trust the Pathan and hope for the best. They reached the Amritsar border and walked to the railway station. They lived inside the station in government provided quarters for a few days. Food, water and warmth were scarce at the station.

It was, after all, the biggest migration the world had ever seen. There were days when my family of 5 barely survived on a packet of biscuits. Their rich and lavish lifestyle was left behind with their house and everything they'd ever known in Lahore. After a week at the Amritsar railway station, they tried to reach out to my Nanaji, who served the British army at the time and was posted in Raipur, Madhya Pradesh. There were no whereabouts of anyone else in the family that they could get to.

Owing to his high posting in the Army, my grandfather had a bungalow in Raipur, and often gave asylum to many refugees who were uprooted by the partition. They lived in my grandfather's Raipur home for about 3 months, while they tried to make a living for themselves in this new and unknown land.

It took years before we found out about the whereabouts of the rest of my father's family. Everyone knew they were somewhere in Dehradun, but the partition had left everyone uprooted and with nowhere to go back to, so they didn't know for sure. When they found them years later, is when my mother got back her prized sewing machine, which in the years to come has become a testament to everything that my family has seen over the last century.

The 2-month-old baby in this story is me. Being that young, I don't remember any of this, but simply narrating what my mother told me about those years of independence. I still yearn to go back and visit my old home, which is possibly not even there anymore. I still yearn to be in a place where borders didn't exist in the way of peace.

और मेरा देश हो गया भारत

रंग बिरंगा देश है मेरा
सब धर्मों का देश है मेरा
जब तिरंगा फहराता है,
मन पुलकित हो जाता है
सबसे प्यारा देश हमारा,
हम सब एक हैं लगायें नारा,
बलिदानों की धरती है ये,
मन में इसे बसाएँ,
सब मिलज़ुल कर खुशियाँ बाँटें,
गीत प्यार के गाएँ।

माँ

तुम वो महकता फूल हो
जिसकी सुवास से सुगंधित सारा जहाँ
ईश्वर की अनुपम कृति हो,
हर हृदय में प्रेम भरती हो।
घर का चमन तुमसे ही गुलज़ार है,
जीवन में ख़ुशियाँ और बहार है।
अपने लाड़ले को यूँ सवारों कि,
वह हर बुलंदियों को छू ले।
कहते हैं आशा से आकाश थमा है,
इसे थामे ही रखना,
दुनिया की रंगत में रंग कर भी,
सम्मान से जीवन जीते रहना

झाँझरें

छनक छनक छन करें,

ये मेरी झाँझरें।

ये झाँझर मेरी बुआ ने भेजी,

मुम्बई शहर से आई।

सुंदर सुंदर फूल बने हैं,

घुँघरू भी लगवाए।

बहुत ही सुंदर झाँझर मेरी,

पहन के मैं इतराऊँ।

पापा मम्मी जब घर आएँ,

दौड़ के मैं दिखलाऊँ।

झाँझर के संग मैं तो नाचूँ,

छनक छनक छनकाऊँ,

मेरी झाँझरें।

तमन्ना

आसमाँ में उड़ने की तमन्ना है मुझे,
चमकते तारों को छूने की तमन्ना है मुझे।
जीवन में जो ख़ुशियाँ मिली हैं,
उन अनमोल लम्हों को संजोने की तमन्ना है मुझे।
इस वक्त को तो पंख लग गए हैं जैसे,
गर रुक सके तो रोकने की तमन्ना है मुझे।
कहते हैं साहिल को किनारा नहीं मिलता,
फिर भी किनारों को छूने की तमन्ना है मुझे।

नारी हूँ ना

नारी हूँ ना
तन से कमज़ोर हो सकती हूँ
लेकिन मन से बहुत मज़बूत हूँ
कठिन से कठिन परिस्थितियों को
सम्भालने की हिम्मत है मुझमें
इस पुरुष प्रधान समाज में
अपनी भी जगह बनानी है मुझे
जन्म से मृत्यु तक नारी
संघर्ष करती रहती है
पर हारना उसे नहीं आता
क्योंकि जानती है वो
असफल हो गई तो
ये समाज उसे जीने नहीं देगा
इसलिये संघर्ष तो करना होगा
सम्मानपूर्वक जीवन जीने के लिए
इस पहचान को बनाने के लिये

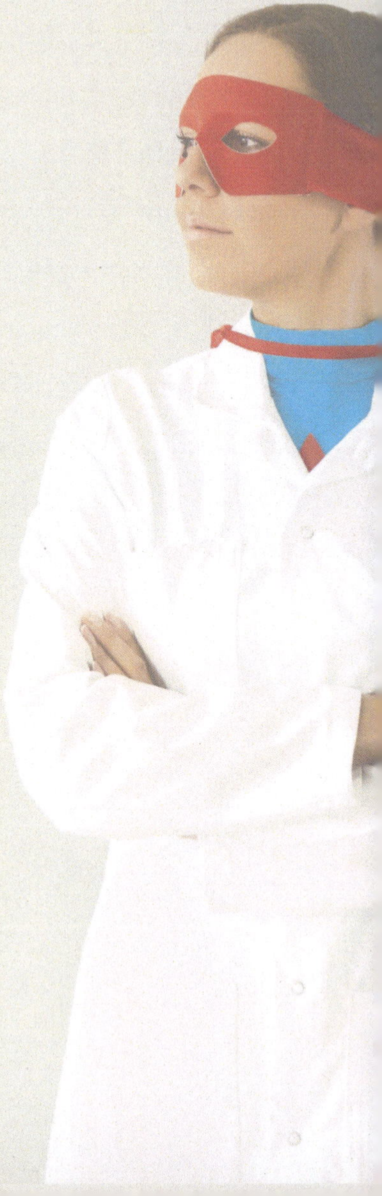

पतंग

एक पतंग
हवा के झोंकों संग
उड़ी चली जा रही थी
मुस्कुराती हुई एक पतंग
खुला आकाश मिला था

ख़ूबसूरत रंगों से सजी
मदमस्त हो रही थी
अपने कागज़ की सरसराहट
बहुत ही भा रही थी

गर्व हो रहा था उसे
ऊचाइयों में उड़ने पर
बादलों की ख़ूबसूरती उसे
अपनी ओर खींचे जा रही थी

एक पतंग
हवा के झोंकों संग उड़ी
अब मैं आज़ाद हूँ
कोई मुझे छू नहीं सकता

ये भ्रम हो गया उसे
एक ज़ोर का झटका लगा
वो नीचे की ओर खिचनें लगी
बहुत डर गई वो

ये एहसास हुआ उसे तब
डोर तो किसी और के पास है
अपने पे ना था कोई ज़ोर
सारा घमंड हो गया चकनाचूर

मेरे हमदम

ऐ मेरे हमदम थाम लेना मुझे
ऐसा न हो वक्त निकल जाए
हमने इस जीवन को
ख़ुशियों से सजाया संवारा
प्यार के मोतियों से पिरोया
फूलों सी ख़ुशबू से
सुवासित हुआ अपना जहां
कुछ खट्टे कुछ मीठे क्षण आए
और आते रहेंगे पर हाँ
इस बगिया में फूल और
ख़ुशबू हमेशा रहे
तो ऐ मेरे हमदम
थाम लेना मुझे गर
लड़खड़ा जाऊँ
ज़िंदगी के इस सफ़र में
ऐ हमसफ़र साथ देना मेरा
दुनिया की डगर बहुत कठिन है
साथ चलना मेरे
संग तुम हो तो कोई गम नहीं
बस ये अहसास रहे
की तुम साथ हो

दोस्त

दोस्त हैं तो हम हैं

दोस्त चेहरे की मुस्कुराहट हैं

दोस्त ख़ुशियों के ख़ज़ाने हैं

दोस्त ही हँसाते हैं

दोस्त कभी रूलाते हैं

कभी आँसू पोंछते हैं

दोस्तों संग गीतों की महफ़िल है

दोस्तों संग ताश की हो बाज़ियाँ

और चाय की हों चुस्कियाँ
तो मज़ा ही कुछ और होता है
दोस्त परीक्षक भी होते हैं
दोस्त पर जब कष्ट आ पड़े तो
दोस्त ही साथ खड़े होते हैं
जब अपने साथ छोड़ देते हैं
ए दोस्त तब तुम अकेला नहीं छोड़ते
अपने तो अपेक्षाएं रखते हैं
दोस्त तुम तो निस्वार्थ साथ देते हो
जब मन हो भारी कोई उलझन हो तो
दोस्तों संग साझा कर लो क्योंकि

दोस्त राज़दार भी होते हैं

जितनी ख़ुशी मिलती है मुझे

मेरे दोस्तों से मिलकर

वो ख़ुशी कहीं नसीब नहीं होती

कुछ साथ हैं कुछ पीछे छूट गये

अब कब मिलना हो दोस्तों से

हम नहीं जानते लेकिन

मेरे दोस्त तुम मेरी यादों में हो

तुम्हें दिल में बसाकर रखा है

होली है!

आया होली का त्योहार
छाई रंगों की बौछार
रंग गुलाल हैं ख़ुशियों भरे
मन को बहुत ही भाते हैं
प्यार और सम्मान करें हम
कड़वे बोल न बोले हम
इस होली को यादगार बना लें
शिकवे शिकायत करना छोड़ो
रंग यही समझाते हैं
मन के तार जुड़ जाते हैं
दोस्तों संग हुड़दंग मचाते
झंकृत होते दिलों के तार
आओं सब मिल होली खेलें
चहूं ओर भर दें प्यार ही प्यार
होली है।

उपहार

जब बालों में
सफ़ेदी छाने लगे
तो समझो अनुभव का
पिटारा भरने लगा है
इसमें खट्टी मीठी यादें हैं
जीवन के संघर्ष हैं
कुछ ग़लतियाँ अगर
अनजाने में हमसे हुई
मगर उनसे बहुत कुछ
सीखा है हमने
हमारे इस ख़ज़ाने में
हमारे संस्कार हैं
हमारी संस्कृति है
ये विरासत है हमारी
वरिष्ठ होते होते
ये ख़ज़ाना भरने लगा है
ये अमूल्य धरोहर
उपहार है हम वरिष्ठों का
अगली पीढ़ी के लिए

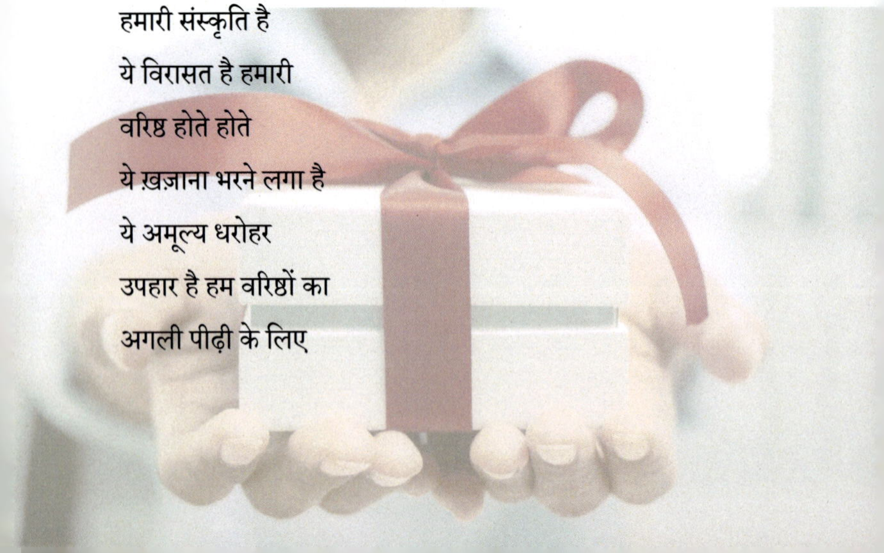

अकेलापन

आज दुनिया कितनी अजीब हो गई

स्वार्थ से भरी इस दुनिया में

वो गरीब हो गई

जिन सीढ़ियों पे चढ़के आगे बढ़े

कामयाबी की बुलंदियों पर पहुँचे

उन सीढ़ियों को सहारा देने वाले का

सीना गर्व से फूल गया

मस्तक ऊँचा उठ गया

पर फिर भी पीछे रह गया

उसका अकेलापन ही था
वो सीढ़ियाँ थामे रह गई
द्वार को निहारते रह गई
रिश्ते नाते भी ख़त्म हुए सब
सोचा था कभी सहारा बनेंग़े
शायद वो भी बहुत बड़े हो गए
वो भी हमको भूल गए
या हमसे किनारा कर गए
सब कुछ समझकर भी
वो नासमझ बन गयी
सब कुछ तो है उसके पास
मान सम्मान धन दौलत
और इससे भी बढ़कर
बहुत प्यारे दोस्त हैं
पर इस नयी दुनिया की दौड़ में
कहीं वो पीछे रह गयी
अपने तज़ुर्बे का ख़ज़ाना
उसके पास होते हुए भी
स्वार्थ से भरी इस दुनिया में
वो गरीब हो गयी
आज दुनिया कितनी
अजीब हो गयी

तुम्हारी याद आती है

कोई मेरे घर आँगन में खेल रहा था,
उसकी किलकारियाँ गूँज रहीं थी।
क्रिकेट की कमेंट्री करते-करते,
गला बैठ जाता था।
इन सब में इक सुक़ून था।
तुम्हारी उपलब्धियों को सुन कर,
सर गर्व से ऊँचा उठ जाता है।

तुमने जीवन की हर ऊँचाई को,

सम्मान सहित पाया है।

शायद यही तमन्ना थी,

इन ऊँचाइयों में तुम्हें देखने की।

कब बचपन बीता, जवान हुए,

पता ही नही चला।

जब थोड़ा संभले,

उड़ चले नयी दुनिया की ओर।

भाव विह्वल हो जाती हूँ,

संवेदित हो जाती हूँ।

मन को बहुत सम्भालती हूँ,

पर क्या करूँ,

तुम्हारी याद आती है।

वक्त सिखा देता है

वक्त सिखा देता है
अपनो के बिना कैसे जिया जाए,
ये वक्त सिखा देता है।
समय मरहम है उन घावों का,
जो अपनो ने ही दिये हैं।
कुरेदने से तकलीफ़ तो होती है,
दिल थाम के बैठो,
ये वक्त सिखा देता है।
अपनो के बिना कैसे जिया जाए,
ये वक्त सिखा देता है।
आ जाओ कि तनहा-तनहा,
रहा नहीं जाता अब,
जीवन की डगर पर,
अकेले चला नहीं जाता
रास्ते कँटीले तो है मगर
कठिन राहों पे चलना भी
वक्त सिखा देता है।
अपनो के बिना कैसे जिया जाए,
ये वक्त सिखा देता है।

सरप्राइज़

दिवाली का त्योहार था।
घर की साफ़ सफ़ाई करवा ली थी।
धनतेरस के दिन गिफ़्ट का सामान,
बर्तन आदि की ख़रीदारी की।

घर आकर शाम को
भगवान के कमरे की सजावट की,
मिठाई नमकीन आदि तैयार किया,
तेरह दिए जलाए।

दिवाली के दिन घर का
सारा काम पूरा कर लिया,
दोपहर से रंगोली बनाते हुए
शाम हो गयी।

तैयार होकर पूजा की थाली सजाई,
हम दोनो ने मिलकर पूजा की,
दिए जलाकर घर को सजाया,
प्रसाद लिया और मिठाई खाई।

कालोनी की रोशनी देखने निकले,
घर आकर बच्चों को फ़ोन पे बधाइयाँ दी,
दोस्तों रिश्तेदारों संग बधाइयों का
आदान प्रदान चलता रहा।

मेरे बेटा और बहू विदेश में हैं
और बेटी मुंबई में।
हम कटनी मध्य प्रदेश में रहते है।

मुंबई से कटनी आने के लिए
सीधी फ़्लाइट नहीं है
और ट्रेन का सफ़र भी १८ घंटे का है।

दिवाली की रात
बेटी दामाद और नाती से
फ़ोन पर बहुत सारी बातें होती रही,

नाती ने बताया कि
वो लोग मिलने आना चाहते थे

दिवाली के दूसरे दिन
हमने अपने दोस्तों को
दोपहर के खाने पर बुलाया था।
लज़ीज़ मक्के की रोटी
और सरसों का साग बनाया था

मैंने और अपनी बहू से
फ़ोन पर अपनी तैयारी के बारे में बताया।
बहू ने कहा
कुछ और भी अच्छी चीज़ें बना लो
तो और भी अच्छा लगेगा।

गाजर का हलवा तो बना ही लिया था
बस दो तीन सब्ज़ियाँ और बना ली।

दोस्त आए और दिवाली मिलन हुआ।
जब सब खाने की मेज़ की ओर आए
तो मेरी सहेली ने पूछा
इतना खाना क्यों बनाया,

तब मैंने कहा
मेरी बहू की इच्छा थी
त्योहार जैसा लगना चाहिए
टेबल पूरा भरा हो तो अच्छा लगेगा
मैंने भी वैसा किया।

सबने खाना खाया,
और थोड़ी गपशप के बाद सब चले गए।
मैंने खाना समेटा और किचन साफ़ किया।

थोडी देर आराम करने लगी।
झपकी लगी ही थी
कि लगा कोई मुझे उठा रहा है,
जैसे ही आँखें खोली
तो देखा मेरा नाती कह रहा है
नानी उठो।

मुझे लगा ये सपना है।
मैं फिर सो गई।
दोबारा नानी उठो की आवाज़ सुनाई दी
और मैं हड़बड़ा कर आँखें मलते हुए उठी
तो देखा बेटी दामाद नाती सब आए थे।

मुझे विश्वास नहीं हो रहा था।
जब नाती ने झप्पी दी
तब अहसास हुआ
कि ये सपना नहीं सच था।

मेरी ख़ुशी का ठिकाना नहीं था।
तभी बहू बेटे ने फ़ोन किया
कि मम्मी सरप्राइज़ कैसा लगा।

बहू ने इसीलिए मुझसे वही खाना बनवाया था
जो मेरे नाती को बहुत पसंद था।
अब तो दिवाली मनाने का मज़ा ही कुछ और था,
वो ख़ुशी वो दिन भुलाए नहीं भूलता।
ऐसे सरप्राइज़ हमेशा मिलते रहें।

Second Inning

आशियाना

आशियाना जब छूटता है तब
दर्द बहुत होता है
हमने भी इक घर बनाया
सोचा था सारा जीवन यहीं
ख़ुशियों संग बितायेंगे
बच्चे बड़े हुए शादियाँ हुईं
सबकी नई दुनिया बन गई
सब व्यस्त होते चले गये

मिलने की इच्छा होती थी
सो अब हम मिलने जाने लगे
बच्चों संग समय बिताने लगे
धीरे धीरे घर वापस जाना
और कठिन हो गया
लंबी यात्रा दुशवार हो गई
पोती पोते संग मन रमने लगा
उम्र हो चली है
स्वास्थ्य साथ नहीं देता अब
पर इक कसक तो है क्योंकि
आशियाना जब छूटता है तब
दर्द बहुत होता है

दादी की लोरी, पोती के लिए

निंदिया आ जाना,

अखियों में छा जाना,

सपने दिखा जाना,

निंदिया आ जाना।

नींद में सोते सपना देखा,

एक परी लोक से गुड़िया आयी,

हौले हौले आँखे खोली,

हौले ही मुस्कुराई,

इस दुनिया के रंग देख के,
पहले तो घबराई,
पर ये दुनिया बड़ी निराली,
मेरे मन को भाई,
मीठे मीठे बोल बोलके,
लोरी गा सुनाऊँ,
दिल ही दिल में बातें करके,
मन में खुशी मनाऊं
तेरी इक मुस्कान से मेरे,
घर में ख़ुशियाँ छाई,
आँखें तेरी नींद से भरी,
थपकी दे सुलाऊँ,
दादी मुझको गोदी लेले,
बन जा मेरा बिछौना,
आँचल तेरा ओढ़ लूँ मैं,
तू लोरी गा सुनाना।

दादी की आँख का तारा

सूर्य किरण है चमकी देखा,

इक नया मेहमा आया

रौशनी से उसकी,

घर मेरा रौशन हुआ।

इक ऊर्जा सी भर गयी मुझमें,

जैसे पंख लग गए हैं

मुझे इन अनमोल ख़ुशियों का,
कोई मोल नहीं जो मुझे मिलीं।
वो प्यार वो एहसास है दिल में,
जो बता न सकूँ।
ख़ुशियों से लबरेज़ इस दिल में,
बहुत प्यार भरा है,
चाहूँ जितना उँड़ेल दूँ।
नन्हे नन्हे हाथ बढ़ाए,
ख़ीच रहा है अपनी ओर।
दादी की आँखों का तारा,
घर का है तू राजदुलारा।
जब जब तुम्हें निहारूँ,
मन ही मन मुसकाऊँ,
ख़ुशी से झोली भर गयी मेरी,
फूली नहीं समाऊँ।

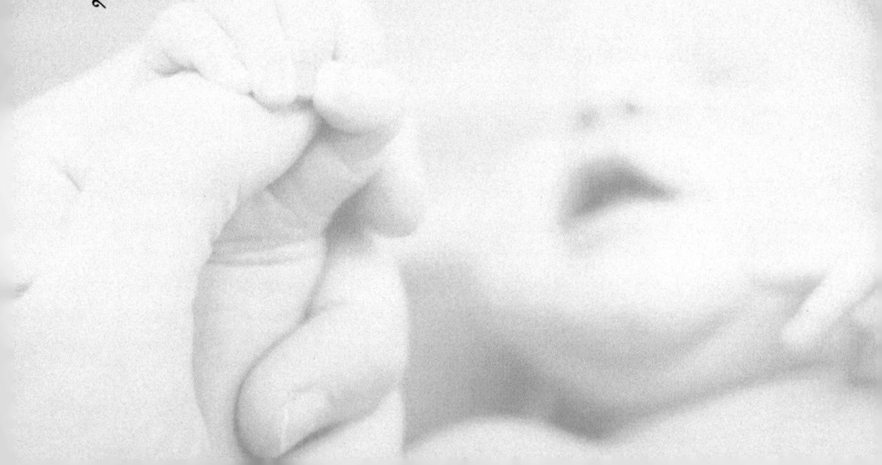

लॉकडाउन का एहसास

फ़िज़ा में दीवानगी सी है

इक वीरानापन है

मगर इक आस भी है

आसमाँ पे परिंदे बहुत ख़ुश हैं

ज़मीं पर मोरों ने समाँ बाँधा है

स्वच्छ हवाएँ सरसरा रही हैं

नदियों की कलकल कह रही है

राहें वीरान तो हैं

पर उसे पथिक का इंतज़ार भी है

इक उम्मीद सी है

दिल में बहारें लौट के आएँगी

वन उपवन में हरीतिमा छायी है

फूलों ने राह बनाई है

वीराना चमन बसाने को

ख़ुशियों को वापस लाने को

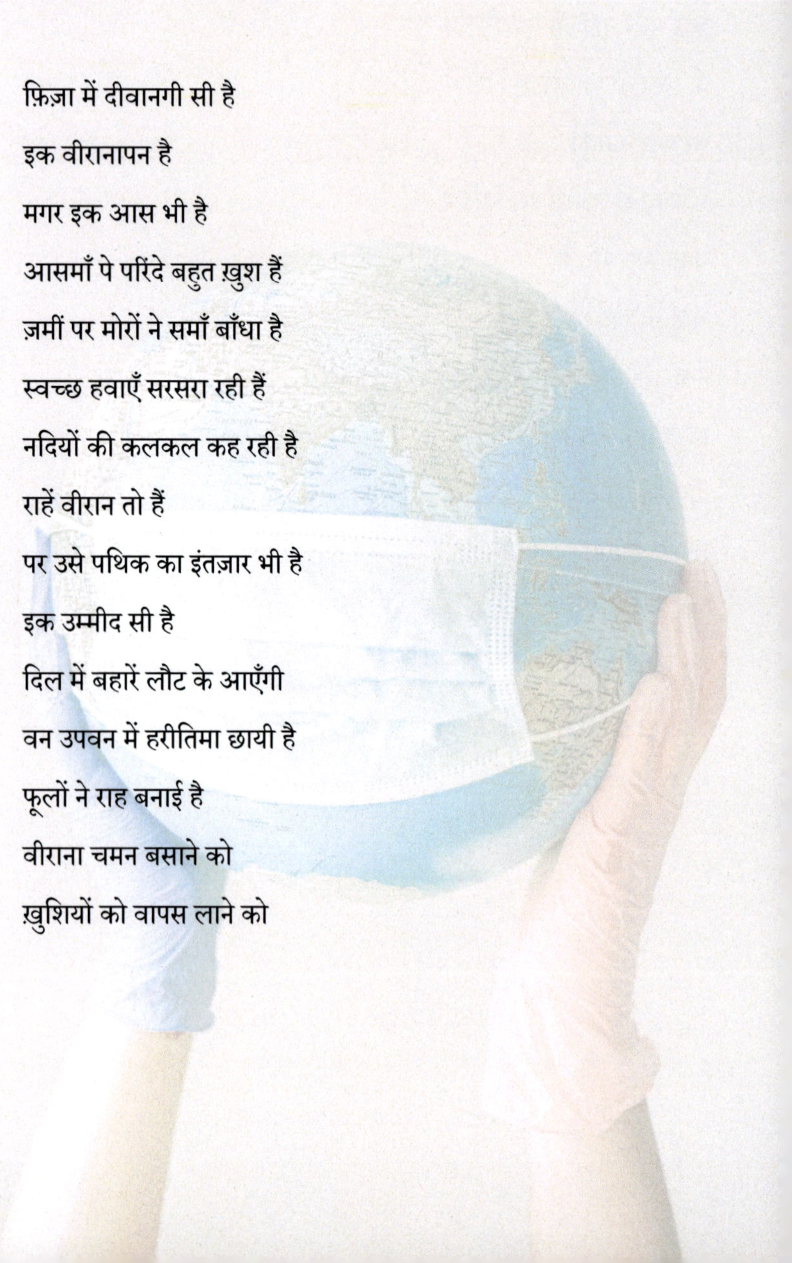

जीवन का सत्य

जीवन का सत्य
कौन किसे कुछ सिखलाता है
कौन किसे समझाता है
आज आना है, कल जाना है
वक्त यही दोहराता है

दुनिया तो रंग बिरंगी है
इस भीड़ में खो न जायें हम
भाग्य भरोसे मत रहना
कुछ करके भी दिखलायें हम
अनंत ऊँचाइयों को छूकर भी
धरा को भूल न जायें हम
वक्त यही सिखाता है

दुनिया आज हमारी यारो
कल की किसे खबर दोस्तो
आज का हर पल जी लें हम
ख़ुशियों से झोली भर लें हम
वक्त यही समझाता है
यही सत्य कहलाता है

मेरी प्रिय सखी

तुम बिन सूना है शहर
तुम्हारी याद बसी है
दिल में सखी हर पहर
इक आस थी मिलने की
दौड़ के गले लगने की
एक साथ शॉपिंग करने की
मिलकर पार्टी में जाने की
तुम जैसी दोस्त पाकर
धन्य थी मैं गर्व था मुझे
पर तुमने तो रास्ते में ही
साथ छोड़ दिया मेरा
अपनी अंतिम साँस तक
तुम्हें भूल न पाऊँगी
सुननी और कहनी थी
बहुत सी बातें पर
सब अधूरा रह गया
किससे करूँ शिकायत
बीच में ही साथ छूट गया

ऐ दोस्त तुझे नमन है

आँखें नम हैं मन उदास है
लगता है तू कहीं आसपास है
ऐ दोस्त तुझे नमन है
वो हसीन लम्हे थे जब हम सब
मिलकर ख़ुशियाँ बाँटा करते थे
हवा के झोंके में सब बिखर गया
ख़ुशियों को वक्त की नज़र लग गई है

ऐ दोस्त तुझे नमन है
समय जो हमने साथ गुज़ारा
कभी न भूल पायेंगे
वो राहें वो गलियाँ इंतज़ार करती हैं
जहां से हम निकलते थे
बग़ीचे की बेंच पर बैठकर
बहुत सी बातें करते थे
वो बेंच वो राहें सूनी हो गयीं तुम बिन
अब तो तुम्हारी यादें ही शेष हैं
अजब सा अधूरापन है
ऐ दोस्त तुझे नमन है

इक सपना

वो यादें जिन्हें मै संजोना चाहती हूँ,
समेट कर रखना चाहती हूँ,
वो यादें जो मेरे जीवन की
अमूल्य धरोहर हैं।
उन्हीं ख़यालों में खोकर,
अतीत की गहराइयों में पहुँचकर
उन लम्हों को चुराना चाहती हूँ,
अंतर्मन के झरोखों में झाँकती हूँ
कुछ कड़वे कुछ मीठे अनुभव
आँखों के आगे साकार होते हैं
उस ओर बढ़ पाती
इससे पहले ही
सपना टूट जाता है
यथार्थ के धरातल पर
अपने को पाती हूँ विस्मृत सा

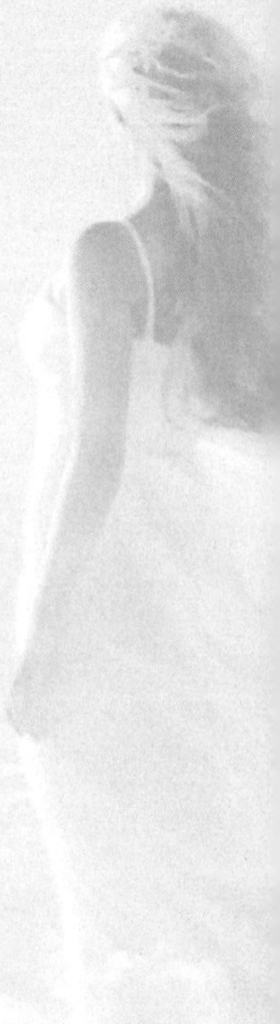

क्या खोया क्या पाया

जाने क्यूँ एक दिन मन में विचार आया
जीवन में क्या खोया क्या पाया
अतीत के पन्ने खुलने लगे
ख़यालों के समंदर की गहराई में
डूबती चली गयी
आँखों के सामने दृश्य तैरने लगे
कुछ ग़म मी मिले
कुछ ख़ुशियों को भी मैंने पाया

जीवन में आगे बढ़ने के लिए

संघर्ष भी बहुत किया

वास्तविकता में लौटी

आकर मनन किया जो समझा

इस छोटी सी ज़िंदगी

मे ही तो सब है समाया

और यही तो है ईश्वर की माया

सोचा न था

सोचा न था
वो पल भी था जब सब अच्छा था
ये समय भी आएगा सोचा न था।
अपनो संग सारा जीवन बीता
इतना सम्मान मिलेगा सोचा न था
छोटी छोटी ख़ुशियाँ थीं
दोस्त बहुत मिले जीवन में
साथ भी दिया हर उलझन में
इतना प्यार दिया सोचा न था
वक़्त की पाबंदियाँ हैं अब तो
हर समय इक डर सा है
मिल न पाएँगे कभी सोचा न था

मेरा बचपन

इक आहट हुई
कुछ प्रतिध्वनि सुनाई दी
पलट कर देखा
आश्चार्य चकित रह गई
मेरा बचपन झांक रहा था
बचपन ने मुझे आवाज़ दी
मेरे पास आकर बाहों में भरकर
कहा क्या सोच रही हो

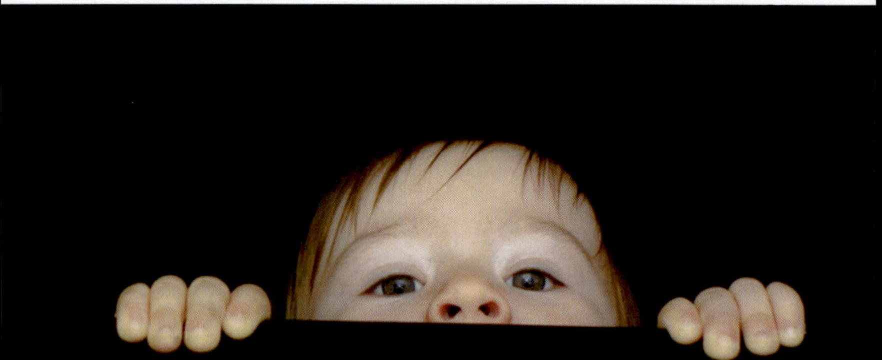

अब सोचना क्या
मुझे अपने अंतर्मन में
देखो पहचानो मैं वही हूँ
लूडो कैरम शतरंज खेले
ज़माना बीत गया
खुलकर कुछ गाया नहीं
अब एक मशविरा है
अपने शौक़ पूरे करने में
जवानी या बुढ़ापा
कोई मायने नहीं रखता
तुम्हें ऊँची उड़ान भरनी है
अपना लक्ष्य निर्धारित करना है
अपने बचपन के साथ
सिर्फ़ अपने लिए
अपना बचपन एक बार
फिर से जीना है

मौक़ा

जीवन में अगर
कुछ करने का मौक़ा मिले
तो ज़रूर करना चाहिए।
मैं भी कुछ करना चाहती थी।
लेख और कविता लिखती थी,
पर पारिवारिक ज़िम्मेदारियों के चलते,
समय नहीं मिल पाता था।
आज जब बच्चे
अपने परिवार में ख़ुश हैं,
अब ख़ाली समय मिला है
और सबका साथ भी मिला है मुझे,
तो इस ख़ाली समय का

सदुपयोग करते हुए
अब अपनी इच्छाओं को पूरा करने का
मौक़ा मिल गया है मुझे
और ये मौक़ा अब मैं खोना नहीं चाहती
आत्मविश्वास के साथ साथ
मन को संतुष्टि मिली,
ख़ुशी का एहसास हुआ
जिसे मैं तलाश रही थी।

फिर आई होली

मैं गुलाल हूँ
मैं वो रंग हूँ जो
होली के दिन अपने परिवार
अपने दोस्तों को
सभी मिलने वालों को
प्यार से लगाते हैं और
बुरा न मानो होली है
कहकर सभी मुस्कराते हैं
सबके चेहरे की ख़ुशी
सबके प्यार स्नेह दुलार से
मुझे संतुष्टि मिलती है
रंग बिरंगे चेहरे और भी
ख़ूबसूरत हो जाते हैं
इन रंगों की बौछार में
गुलाल की बहार में
पकवानों की मिठास संग
ठंडाई पियें और पिलायें
आओ होली मनायें
आओ गुलाल लगायें

I am not alone

O God, O supreme power
I'm thankful for being in this world
By thy grace
I fulfilled all my wishes
By thy grace
I found happiness in life
By thy grace
I achieved everything
By thy grace
I have no thoughts to hurt
Or harm anyone
By thy grace
O God I always feel
Your blessings on me
I am not alone because
You are with me

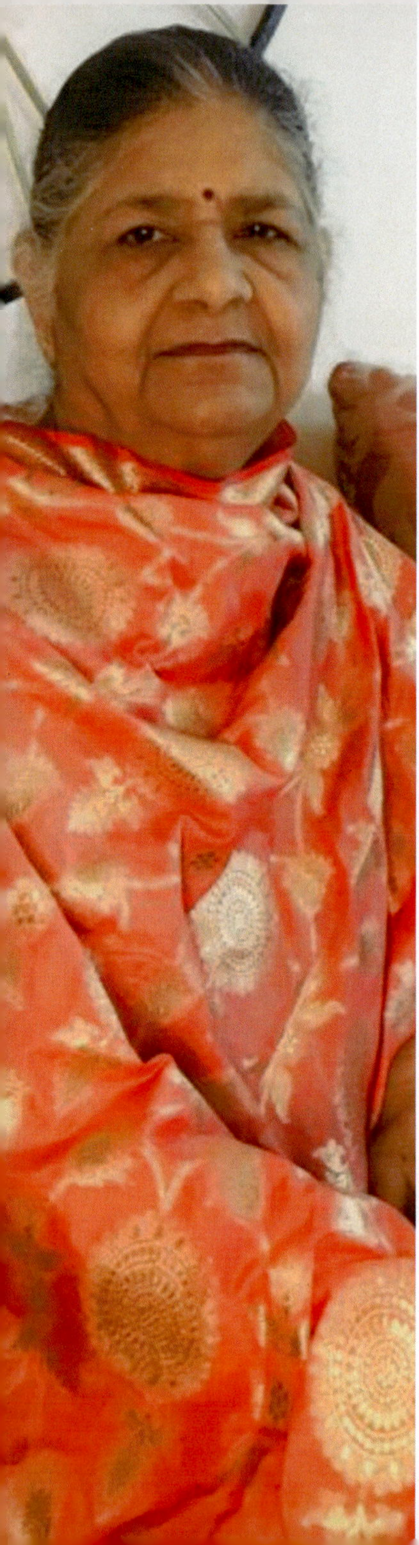

Baljeet Ahuja

Author

Baljeet Ahuja resides in the picturesque town of Saratoga, California. With a diverse and accomplished background, Baljeet has seamlessly blended her love for literature, social service, and the arts throughout her life.

Baljeet's journey into the world of community service began as a charter member and later President of both the Inner Wheel and Lioness Club. Her commitment to making a positive impact on society extended further through dedicated service with the Red Cross Society, where she actively participated in numerous social service initiatives.

Beyond her philanthropic pursuits, Baljeet is a talented singer, showcasing her artistic prowess in the realm of music. Her participation in the National Cadet Corps (NCC) during her formative years reflects her discipline, leadership, and commitment to a larger cause.

Before embarking on the journey of marriage, Baljeet served as a teacher, shaping young minds with her passion for English literature and language. Her teaching career was marked by a dedication to fostering a love for learning and a deep appreciation for the written word.

Baljeet's spiritual side finds expression in her work as a spiritual writer, exploring the realms of faith, introspection, and the interconnectedness of life. Her writings serve as a source of inspiration for those seeking spiritual nourishment and guidance.

With a rich tapestry of experiences and a multifaceted approach to life, Baljeet Ahuja invites readers to join her on a journey through the pages of her poetry, where the beauty of language, the melody of song, and the spirit of service converge to create a harmonious narrative.